「美しい体になって
自信を持ちたい」
あなたへ

はじめまして、筋トレ大好きな
コスプレイヤー、桃戸ももです。

ボディビル大会のビキニ部門（女性らしい美しさを競う部門）で優勝し
SNSで「2.5次元ボディ」と言ってもらうことが増えるにつれ、

「ボディメイクしたいけど、何から始めたらいいかわからない」

と質問されるようになりました。

ボディメイクは「痩せた体」ではなく、
「健康的で美しい体」を目指すもの。

ウエストを細く見せたいなら
ただ食事制限してお腹を凹ませた体より、
背中とお尻の筋肉をつけてボリュームを出し、
相対的にウエストが細く見える体のほうがずっと美しいです。

数値の変化より印象の変化を重視すれば、
ネガティブなダイエットからポジティブなボディメイクへ転換でき、
継続するほど自信がついてきます。
私も筋トレして2.5次元ボディになってから
前より自信を持って行動できるようになりました。

まずは、この本に書いてある
「健康的で美しい体」を育てる運動&食事
を1ヶ月だけトライしてみてください。
見て楽しめるように、コスプレ写真もたくさん散りばめました。

あなたが自信を持てる2.5次元ボディに
なれますように!!

✦ CONTENTS ✦

How to Use The Workout Book

全身をまんべんなく鍛えたい人
›››「FullBody Workout MENU」に沿ってトレーニング

特定の部位を鍛えたい人
›››該当部位を鍛える章（Week）を選び、集中してトレーニング

より効率的に2.5次元ボディを鍛えたい人は、その日ごとに部位を分けてトレーニングする「FullBody Workout MENU Week 1〜4」（p.13〜16）がおすすめ！

- 筋肉痛になっても次は別の部位を鍛えるから、連日トレーニングできる。
- 週ごと（Week 1 〜 4）にだんだんレベルアップ。
  無理なく強度を上げて、1か月後には2.5次元ボディに。

POINT

- 大きな筋肉の「下半身」から鍛えるのが効率的
- 【きついと思った回数＋2回】が効く
- 全身鏡で見て気になる部位は集中トレーニングを
- 週4日はトレーニング、残りの週3日は「Off Day」の軽いトレーニングで○
- 気になる部位のトレーニングを1日プラスして、週5日トレーニングすると◎

CHECK

- 章ごとにコスプレを変え、最初は①鍛える部位が引き立つコスプレページ、最後は②眼福のご褒美ページがあるので、尊い気分に浸りながらトレーニングを♡
- 各トレーニングの実践動画が読み込めるQRコード付き。いっしょにトレーニングしよう！

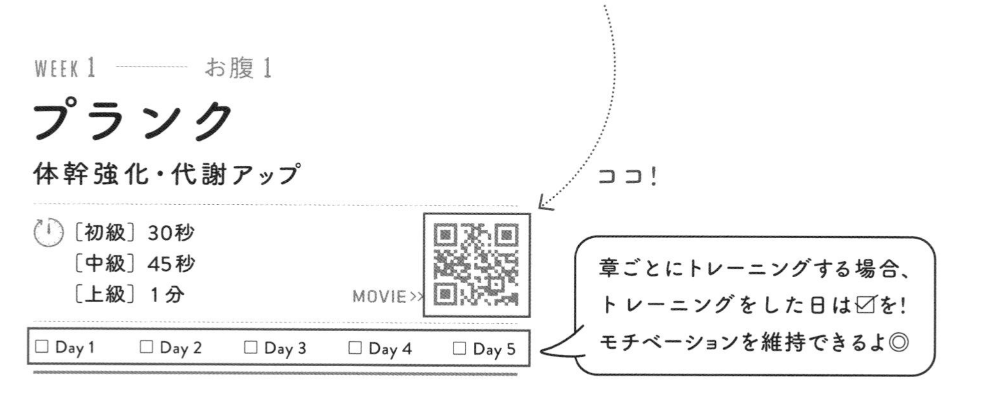

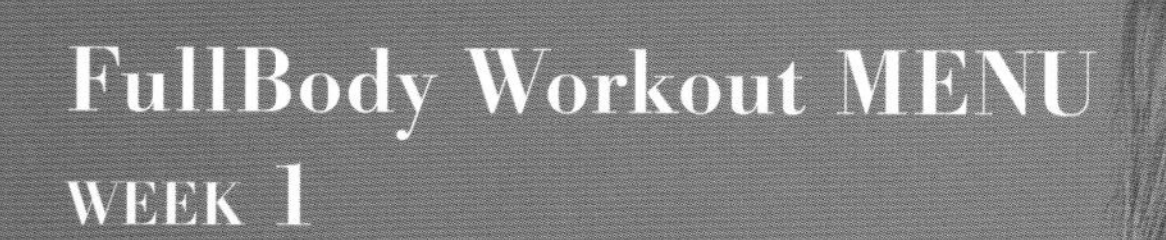

FullBody Workout MENU
WEEK 1

Day 1 ›› 下半身
①ワイドスクワット：p.38
②ヒップリフト ：p.42
③バックキック：p.44
④ストレッチ＆マッサージ：p.48-51

Day 2 ›› 腹
①プランク or ツイストプランク：p.20
②デッドバグ：p.22
③リバースクランチ：p.24
④ストレッチ：p.30-31

Day 3 ›› 背中
①タオルラッドプルダウン ：p.74
②スーパーマン：p.76
③ストレッチ：p.80-83

Day 4 ›› 腕
①フレンチプレス：p.58
②トライセプスキックバック：p.60
③ストレッチ：p.66-67

Off Day
Must ›› ①姿勢トレーニング：p.90-95
②ながらトレーニング：p.96-97
Want ›› 4分HIIT トレーニング：p.106-109

FullBody Workout MENU

WEEK 2

Day 1 ››› 下半身

①ワイドスクワット：p.38
②サイドランジ ：p.40
③ヒップリフト：p.42
④ストレッチ＆マッサージ：p.48-51

Day 2 ››› 腹

①プランク or ツイストプランク：p.20
②リバースクランチ：p.24
③ツイストクランチ：p.26
④ストレッチ：p.30-31

Day 3 ››› 背中

①タオルラットプルダウン：p.74
②スーパーマン：p.76
③ペットボトルローイング：p.78
④ストレッチ：p.80-83

Day 4 ››› 腕

①リバースプッシュアップ：p.62
②ワイドプッシュアップ： p.64
③ストレッチ：p.66-67

Off Day

Must ››› ①姿勢トレーニング：p.90-95
②ながらトレーニング：p.96-97
Want ››› 4分 HIITトレーニング：p.106-109

FullBody Workout MENU

WEEK 3

Day 1 ›› 下半身

①ワイドスクワット：p.38
②サイドランジ： p.40
③ヒップリフト：p.42
④バックキック：p.44
⑤ストレッチ＆マッサージ： p.48-51

Day 2 ›› 腹

①プランク＆ツイストプランク： p.20
②リバースクランチ：p.24
③ツイストクランチ：p.26
④ストレッチ：p.30-31

Day 3 ›› 背中

①タオルラットプルダウン：p.74
②スーパーマン：p.76
③ペットボトルローイング：p.78
④ストレッチ：p.80-83

Day 4 ›› 腕

①フレンチプレス：p.58
②トライセプスキックバック：p.60
③リバースプッシュアップ：p.62
④ストレッチ：p.66-67

Off Day

Must ›› ①姿勢トレーニング：p.90-95
②ながらトレーニング：p.96-97
Want ›› 4分 HIIT トレーニング：p.106-109

FullBody Workout MENU

WEEK 4

Day 1 ››› 下半身

①ワイドスクワット：p.38
②サイドランジ：p.40
③ヒップリフト：p.42
④バックキック：p.44
⑤ブルガリアンスクワット：p.46
⑥ストレッチ＆マッサージ：p.48-51

Day 2 ››› 腹

①プランク＆ツイストプランク：p.20
②デッドバグ：p.22
③リバースクランチ：p.24
④ツイストクランチ：p.26
⑤ニートゥーエルボー：p.28
⑥ストレッチ：p.30-31

Day 3 ››› 背中

①タオルラッドプルダウン：p.74
②スーパーマン：p.76
③ペットボトルローイング：p.78
④ストレッチ：p.80-83

Day 4 ››› 腕

①フレンチプレス：p.58
②トライセプスキックバック：p.60
③リバースプッシュアップ：p.62
④ワイドプッシュアップ：p.64
⑤ストレッチ：p.66-67

Off Day

Must ››› ①姿勢トレーニング：p.90-95
②ながらトレーニング：p.96-97

Want ››› 4分HIITトレーニング：p.106-109

WEEK 1
腹
Body
Loose & Fluffy Boy

お腹は脂肪がつきやすい場所。
腹筋を鍛えて体脂肪を減らすことで、太りにくい体に！
女性らしいくびれが生まれたり、
食後にポッコリ出てしまうお腹をキュッと引き締めたり、
姿勢が良くなったりと、うれしい効果がたくさんあるよ。
腹チラ服も怖くない
「思わず自撮りしたくなる美腹」になろう！

POINT

- 腰を反らない（効果ダウン・腰痛のリスクあり）
- 同時に食事改善（p.110）を。皮下脂肪が減って効果アップ！

WEEK 1 ——— お腹 1

プランク

体幹強化・代謝アップ

〔初級〕30秒
〔中級〕45秒
〔上級〕1分

MOVIE >>

☐ Day 1　☐ Day 2　☐ Day 3　☐ Day 4　☐ Day 5

APPROACH

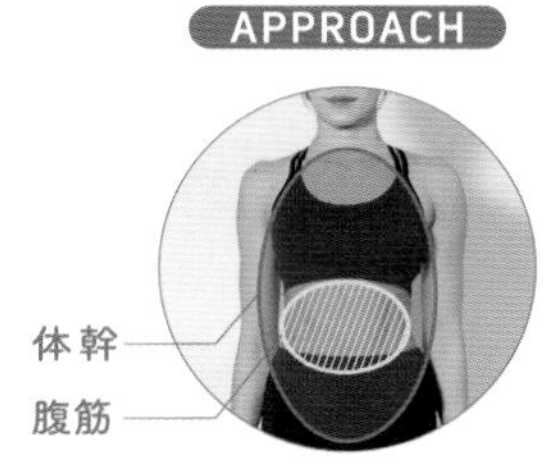

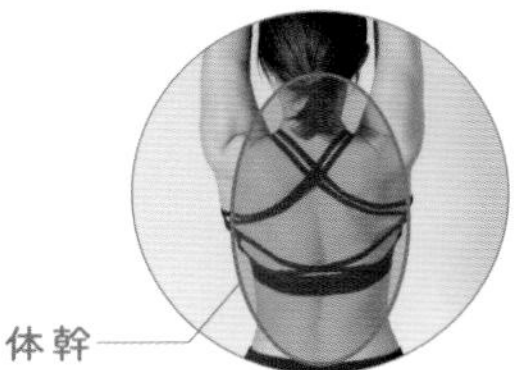

LEVEL 1

プランク

肩幅に腕を開いて肩関節の真下に両肘をつけ、両脚は腰幅より狭く開く。
肘と足先を支点して背筋を伸ばし、頭とかかとを一直線にするイメージで
腹部に力を入れ、呼吸を続けながら30秒〜1分キープ。

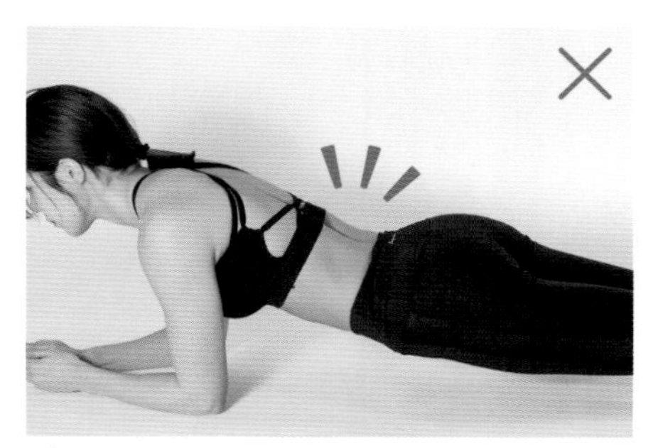

⚠ 腹圧が抜けるとおなかが落ち、腰が反ってしまうので要注意！

〔LEVEL 1〜3〕から
できるものを選んで
やってみて。
慣れてきたら
LEVEL UP!

LEVEL 2

プランクアップ

プランクの姿勢になり、腰を丸めてお尻を引き上げる。
おへそをのぞき込むようにして、呼吸を続けながら 30 秒～1 分キープ。

LEVEL 3

ツイストプランク

プランクの姿勢になり、腕は動かさずに腰を左右交互に同じだけ倒すのを 30 秒～1 分続ける。
足先は多少ズレてもいいが、上半身は動かさないように意識する。

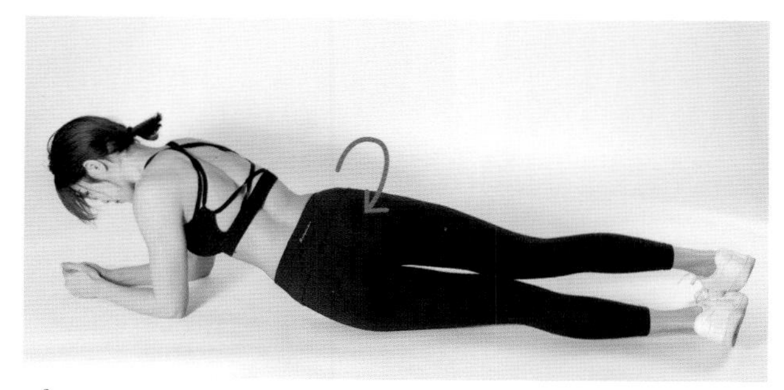

なるべく腰から上は動かさないように意識

WEEK 1 ——— お腹 2

デッドバグ

体幹強化・代謝アップ

1分

MOVIE >>

☐ Day 1 ☐ Day 2 ☐ Day 3 ☐ Day 4 ☐ Day 5

APPROACH

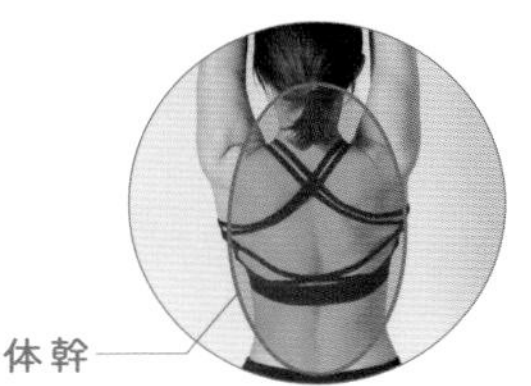

STEP 1

仰向けになって両手をまっすぐ上に伸ばし、ひざを90度に曲げる。
腰が浮かないようにお腹に力を入れ、頭を上げて目線をおへそに。

STEP 2

息を吐きながら、右手は耳横まで上げ、左手は左もも上まで下げる。同時に左脚を床ギリギリまで伸ばす。お腹に力を入れたまま、腰が反らないように。

STEP 3

息を吸いながら元に戻し、息を吐きながら反対側（左手と右脚）も同様に伸ばす。
左右交互に1分間繰り返す。

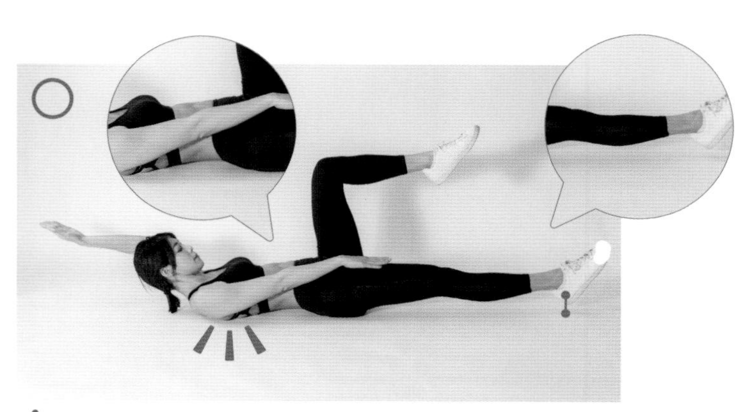

背中は床に密着させ、脚を床につけず浮かせておく

リバースクランチ

ぽっこり解消・冷え予防

APPROACH

腹直筋下部 / 腸腰筋

〔初級〕10 回 × 2セット
〔中級〕15 回 × 2セット
〔上級〕20 回 × 2セット

MOVIE >>

☐ Day 1 ☐ Day 2 ☐ Day 3 ☐ Day 4 ☐ Day 5

STEP 1

両手で後頭部を支えて浮かせ、ひざを 90 度に曲げる。
腰を反らさず背中を床に密着させ、目線はおへそに。

STEP 2

お腹に力を入れて息を吐きながら、太ももをお腹にくっつけるイメージで脚全体をグッと上げる。息を吸いながら〔Step 1〕の体勢に戻り、同じ動きを10～20回繰り返す。
余裕がある人は、足先を床上ギリギリまで下げると効果アップ！

腹圧が抜けると腰が浮いてしまう。脚を戻したときも、背中は床につけておく

ツイストクランチ

ウエスト引き締め・くびれ

APPROACH

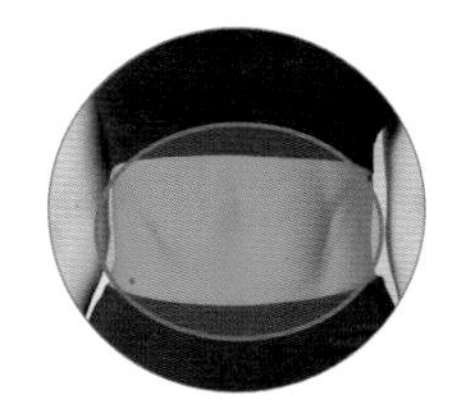

腹筋全体

〔初級〕10回×2セット×左右
〔中級〕15回×2セット×左右
〔上級〕20回×2セット×左右

MOVIE >>

☐ Day 1　☐ Day 2　☐ Day 3　☐ Day 4　☐ Day 5

STEP 1

手で頭を支えて浮かせ、ひざを90度に曲げる。
腰を反らさず背中を床に密着させ、目線はおへそに。

STEP 2

息を吐きながら右肘と左ひざをおなかの上でくっつけるイメージで体をねじり、上半身と下半身をなるべく均等に引き寄せる。
次に左肘と右ひざを引き寄せ、左右交互に10回～20回×2セット行う。

腰が浮いてしまうと効果半減。背中は床につけたままキープ

サイドプランク・ニートゥーエルボー

ウエスト引き締め・くびれ

体幹 / 腹斜筋

10 回×左右

MOVIE >>

☐ Day 1 ☐ Day 2 ☐ Day 3 ☐ Day 4 ☐ Day 5

STEP 1

肩関節の下に肩肘をついて上半身を起こし、背筋を伸ばす。
きつい人は〔Step 2〕〔Step 3〕に進まず、この状態を30秒キープするだけでもOK。

STEP 2

息を吸いながら手を斜め上へ伸ばし、上側の脚を少し浮かせて脇腹を伸ばす。体がブレないように注意。

STEP 3

息を吐きながら脇腹を縮め、肘とひざを骨盤の上あたりでくっつける。体が前後に倒れないよう、床に対して垂直にキープする。
〔Step 2〕〔Step 3〕の動きをなるべく大きく、左右10回ずつ繰り返す。

コブラ＆チャイルドポーズ

腰痛予防・姿勢改善

MOVIE >> 

APPROACH

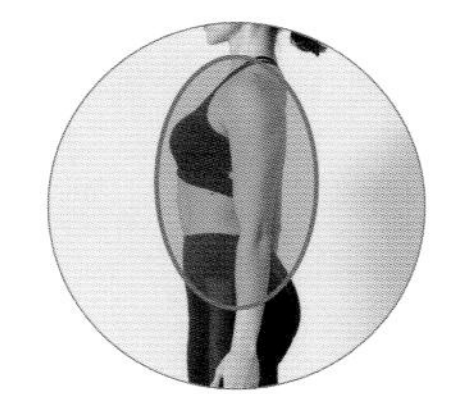

上半身全体筋

1分

☐ Day 1 ☐ Day 2 ☐ Day 3 ☐ Day 4 ☐ Day 5

STEP 1

息を吸いながら上半身を起こして顎を上げ、首や肩の力を抜く。
肩甲骨を寄せて胸を開き、背中から腰を気持ちよく伸ばしながら5回深呼吸する。

STEP 2

手を前についたまま腰を後ろに引き、かかとの上にお尻を乗せる。
そのまま5回深呼吸する。

WEEK 1 ——— お腹 7

体側伸ばし

骨盤矯正・呼吸改善

APPROACH

脇腹 / 背中筋

30秒×左右

☐ Day 1 ☐ Day 2 ☐ Day 3 ☐ Day 4 ☐ Day 5

STEP 1

できるだけ大きく開脚し、ゆっくり息を吐きながら、体を横に倒す。
手を上に伸ばし、目線は天井に向け、深呼吸しながら30秒キープ。

脚ではなく体側を伸ばす感覚で

STEP 2

息を吸いながら中心に戻り、息を吐きながら反対側に体を倒す。
深呼吸しながら30秒キープする。

おつかれさま!
一休みしよ。

OFF RECORD TALK BY STAFF

コンセプトは「脱いだらすごい“ゆるふわ男子”」。ゆるふわな見た目とバキバキの腹筋のギャップがたまらない男子を、ももさんがばっちり演じてくれました!
露出は少ないはずなのに、ももさんが腹チラした瞬間にドギマギし、女性ホルモンを放出する女性スタッフ陣……。
ももさんが「めちゃかわいい」と推していた靴下＆スニーカーがゆるかわポイントです。
撮影中にファンサをしてくれたメイキング動画もぜひご覧ください!

MAKING VIDEO

Feminine
Woman
WEEK 2
下半身
Lower
Body

POINT

- ヒップを鍛えるときの重心はかかとに。
  前重心になると前モモに効いてたくましい脚に…。
- 腰痛の原因になるので、反り腰にならないよう注意！
- 股関節のストレッチ（p.50）も行うと筋トレ効果アップ♡

痩せやすい体にしたいなら、下半身トレーニングがおすすめ！
下半身は一番大きい筋肉で、効率的に代謝アップできる。
「血液の7割は下半身に集まる」と言われているから、むくみ対策にも◎。
むくみで〝下半身太り〟にならないよう
ストレッチとマッサージもしてね。
引き締まった美脚と丸くキュッと上がった〝もも尻〟を目指して♥

WEEK 2 ——— 下半身1

ワイドスクワット

ぽっこり解消・冷え予防

〔初級〕10回×2セット
〔中級〕15回×2セット
〔上級〕20回×2セット

MOVIE >>

☐ Day 1 ☐ Day 2 ☐ Day 3 ☐ Day 4 ☐ Day 5

APPROACH

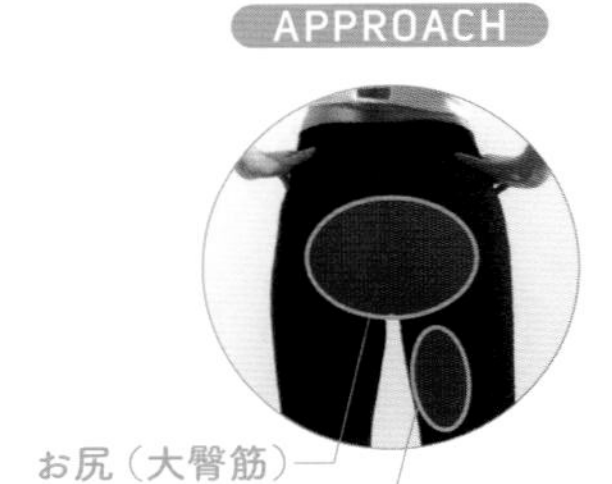

STEP 1

脚を肩幅の1.5倍程度に開き、つま先とひざを外側斜め45度に向け、両手を胸の前で組む。

STEP 2

息を吐きながら、両脚の付け根に引っかけたロープで後ろに引っ張られるイメージで、ひざが90度になるまで腰を下げる。
かかと重心で、ひざではなく股関節を曲げる意識を持つのがポイント。ひざとつま先は斜め45度をキープ。

ひざをつま先より前に出さない

STEP 3

息を吸いながら〔STEP 1〕の姿勢に戻り、お尻をしっかり締める。
10〜20回×2セット行う。

WEEK 2 ―― 下半身 2

サイドランジ

太もも引き締め・ヒップアップ

〔初級〕10 回 × 2 セット
〔中級〕15 回 × 2 セット
〔上級〕20 回 × 2 セット

MOVIE >>

- ☐ Day 1
- ☐ Day 2
- ☐ Day 3
- ☐ Day 4
- ☐ Day 5

APPROACH

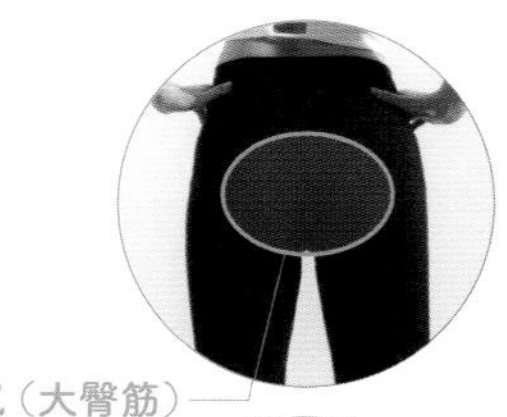

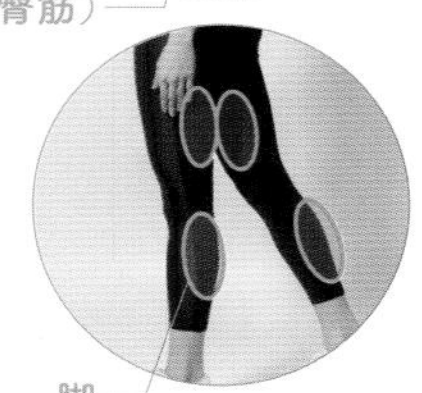

STEP 1

胸の前で手を組み、脚を肩幅に開く。
ひざとつま先は正面に向ける。

STEP 2

息を吐きながら片脚を真横に出し、肩幅の2倍くらいに広げる。出した脚のかかとに重心を乗せ、股関節を曲げる意識でひざが90度になるまで上体を落とす。ひざとつま先はやや外側に向きを揃える。

⚠ ひざとつま先の向きを揃える

STEP 3

息を吸いながら真ん中に戻し、息を吐きながら反対側に脚を出す。左右交互に10〜20回×2セット行う。

ヒップリフト

ヒップアップ・姿勢矯正

〔初級〕15 回 × 2 セット
〔中級〕20 回 × 2 セット
〔上級〕25 回 × 2 セット

MOVIE>>

□ Day 1　□ Day 2　□ Day 3　□ Day 4　□ Day 5

STEP 1

仰向けになってひざを立て、両脚のかかとをつける。
腰が反らないように腹圧を入れて腰を後傾させ、床にぴったり密着させる。

STEP 2

息を吐きながらお尻の穴を締めて骨盤を上げ、胸下からひざまで一直線にする。ひざを 90 度に曲げた状態で 2 秒キープし、息を吸いながら〔STEP 1〕に戻る。15 ～ 25 回× 2 セット。

お尻を上げ切らないと腰が落ちてしまう。しっかり腹圧を入れて上へ

WEEK 2 ——— 下半身 4

バックキック

ヒップアップ・脂肪燃焼

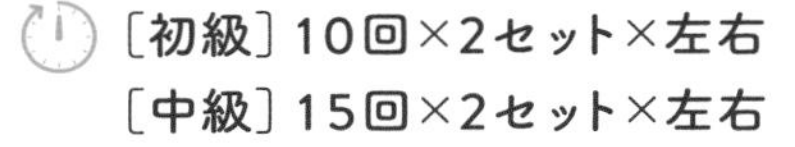
〔初級〕10回×2セット×左右
〔中級〕15回×2セット×左右
〔上級〕20回×2セット×左右

MOVIE >>

☐ Day 1　☐ Day 2　☐ Day 3　☐ Day 4　☐ Day 5

APPROACH

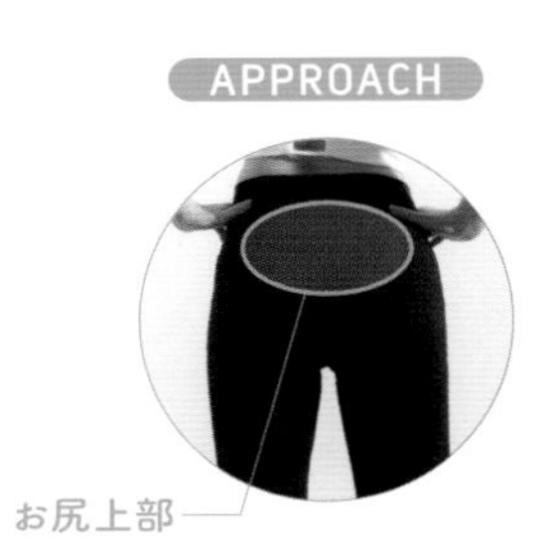

四つん這いになり、両手を肩関節の真下に置く。

STEP 2

片脚を脚の付け根から動かすイメージで、息を吐きながら蹴り上げる。つま先を伸ばし、足の甲が床と平行になるようにして、高く上げるのがコツ。

STEP 3

息を吸いながら、上げた脚を床と並行になるまで下ろす。
〔STEP 1〕～〔STEP 2〕を素速く10～20回、左右交互に2セットずつ行う。

WEEK 2 ―― 下半身 5

ブルガリアン スクワット

太もも引き締め・ヒップアップ

［初級］10回×2セット×左右
［中級］15回×2セット×左右
［上級］20回×2セット×左右

MOVIE >>

☐ Day 1 ☐ Day 2 ☐ Day 3 ☐ Day 4 ☐ Day 5

APPROACH

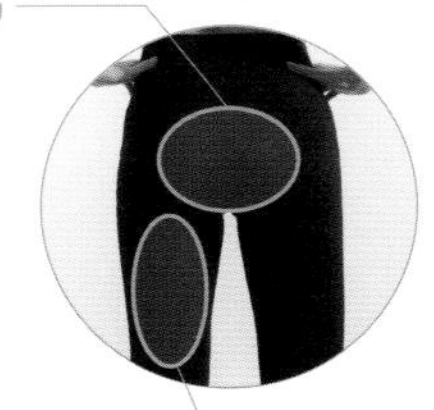

STEP 1

椅子の60〜90cmほど前に立ち、片方の足の甲を椅子の先に乗せる。
もう片方の脚はつま先を少し内側に向けて、かかとに重心を乗せて、手を腕の前で組む。

STEP 2

3秒かけて息を吸いながら、背中を45度に前傾させ、後脚のひざを床に突き刺すように落とし、前脚のひざが90度になるまで曲げる。かかと重心をキープし、3秒かけて息を吐きながら立ち上がり、ひざが伸び切る手前で止める。左右交互に10～20回×2セット。

ひざがつま先より前に出ると、前ももが張って脚が太くなる。腰は反らないように

股関節から曲げる意識で、目線は前に

ストレッチ&マッサージ

張り・むくみ解消

10 秒×6 種目×左右

MOVIE>> STEP 1〜3  STEP 4〜6

☐ Day 1 ☐ Day 2 ☐ Day 3 ☐ Day 4 ☐ Day 5

STEP 1

壁の前に立ち、肩の前で両手をつく。片脚を一歩出し、もう片脚を一歩引いて、深呼吸しながら前ももを10秒伸ばす。

STEP 2

後脚のひざを曲げて少し体を落とし、深呼吸しながら足首を10秒伸ばす。

STEP 3

両ひざを伸ばし、肩の高さで両手をついたまま上体を倒して、深呼吸しながらもも裏を10秒伸ばす。

左右を入れ替え、〔STEP 1〕〜〔STEP 3〕を行う。

STEP 4

床に前脚をつき、後脚を大きく引いて甲を床につける。背中をまっすぐにして胸を張り、深呼吸しながら脚の付け根(腸腰筋)を10秒伸ばす。

STEP 5

後脚のひざを立て、お尻を後ろへ引き、前脚を伸ばす。息を吐きながら前脚の先に両手を添え、深呼吸しながらもも裏を10秒伸ばす。

STEP 6

前脚のひざを立ててかかと重心にし、後脚の甲を手で掴んで前ももを伸ばす。深呼吸しながら10秒。
左右を入れ替え、〔STEP 4〕〜〔STEP 6〕を行う。

脚痩せマッサージ

張り・むくみ解消

3分

MOVIE>>

☐ Day 1　☐ Day 2　☐ Day 3
☐ Day 4　☐ Day 5

STEP 1

伸ばし棒とボディクリームを用意し、ボディクリームを脚全体に塗る。

＊伸ばし棒は100円ショップなどでOK！

STEP 2

手のひらで脚を挟むようにして、下から上にマッサージする。

足首からひざ下まで、ふくらはぎを揉む。

ひざ下から脚のつけ根まで、もも前・もも裏の両面を揉む。

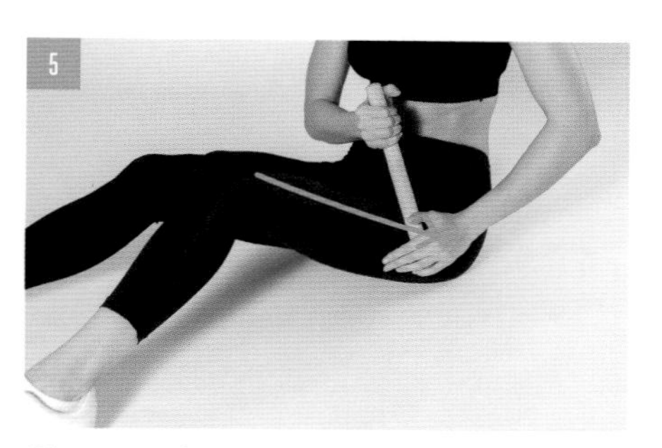

側面のひざ上から脚のつけ根まで、伸ばし棒を滑らせる。

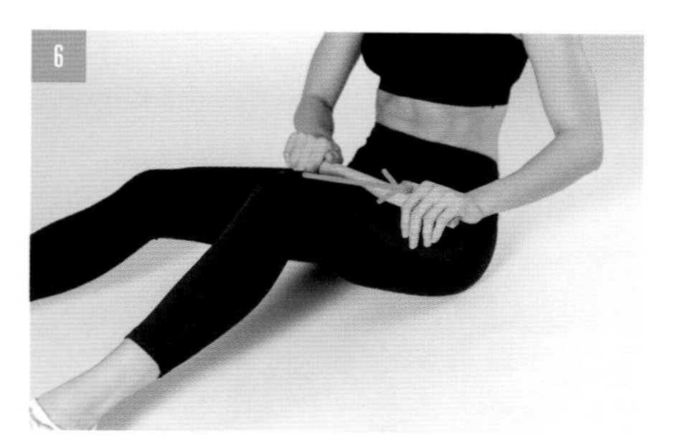

表面のひざ上から脚のつけ根まで、伸ばし棒を滑らせる。

裏面のひざ上から脚のつけ根まで、伸ばし棒を滑らせる。

STEP 3

伸ばし棒と手で、脚を下から上にマッサージする。

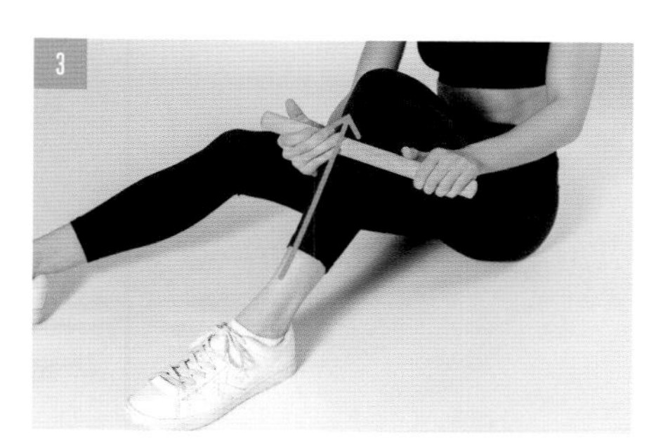

伸ばし棒を両手で持ち、片手は逆さにして、表面の足首からひざ下までぐっと力を入れたまま滑らせる。痛気持ちいいくらいの力加減で。

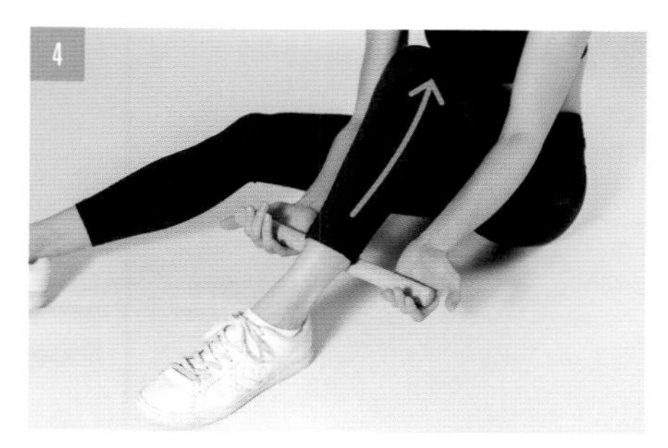

裏面の足首からひざ下まで、伸ばし棒を滑らせる。

Fabulous

OFF RECORD TALK BY STAFF

コンセプトは「色気たっぷりのフェミニン」。
イケメン女子のイメージが強いももさんですが、ウィッグをつけた瞬間に別人に！ 峰不二子のようなグラマラス女性になり、スタジオが色気で包まれました…。
ももさんは身長172cmウエスト56cmとスタイル抜群で、特に圧巻だったのは信じられないほど丸く引き上がったヒップ！ まさに努力の賜物で、美しさにため息が出ました。
憧れボディすぎて筋トレのモチベが爆上がりするので、メイキング動画もぜひご覧ください！

MAKING VIDEO

WEEK 3

腕

Arm

Bandman

腕は目に入りやすく、
パッと見の印象を決めるパーツ。
腕のトレーニングは二の腕がすっきりするうえに、
肩や背中も引き締まってメリハリある上半身に！
二の腕の〝ふりそで〟は食事制限だけだと
落ちにくいから、筋トレでさよならしよう。
ノースリーブも美しく着こなせて、
特別な日のドレスアップもさまになるよ。

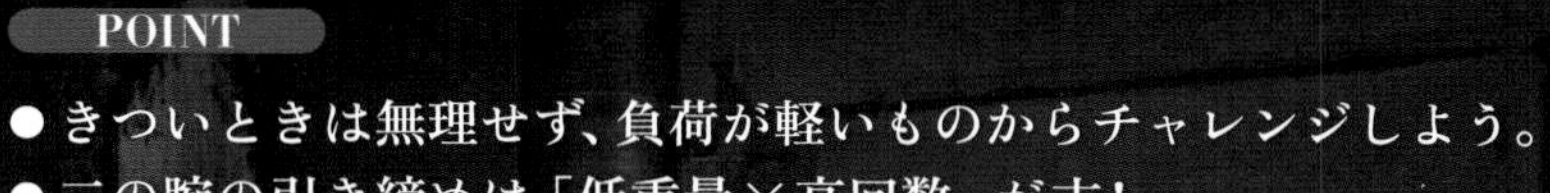

POINT

- きついときは無理せず、負荷が軽いものからチャレンジしよう。
- 二の腕の引き締めは「低重量×高回数」が吉！
  余裕ができたら重さではなく回数を増やして。
- ペットボトルを使うトレーニングは、肘の位置を固定しよう。
- 筋トレ後はリンパマッサージを！　脇を指全体でほぐし、
  手のひらで肘→脇へさすり上げ、親指で脇をプッシュ。

WEEK 3 ——— 腕 1

フレンチプレス

二の腕引き締め

APPROACH

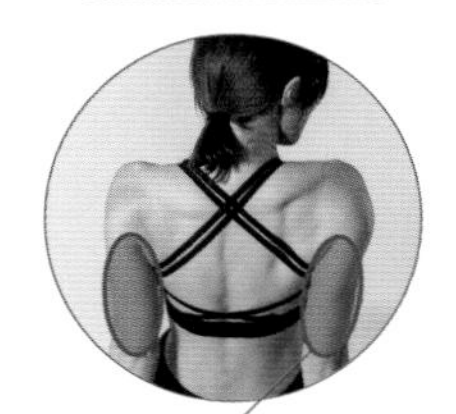

二の腕（上腕三頭筋）

〔初級〕10回×2セット
〔中級〕15回×2セット
〔上級〕20回×2セット

MOVIE >>

☐ Day 1　☐ Day 2　☐ Day 3　☐ Day 4　☐ Day 5

STEP 1

背筋を伸ばして椅子に座り、500ml ペットボトルを両手で持って頭の後ろに下げる。腕は耳の横に密着させる。

500ml ペットボトルを用意する

お腹に力を入れて、
腰が反らないようにする

STEP 2

耳に腕をつけて肘を固定したまま、息を吐きながら腕を伸ばし、ペットボトルを真上に持ち上げる。手のひらは斜め上向きで、ペットボトルが横向きにならないようにする。
息を吸いながら元の位置に戻し、10～20回×2セット行う。

肘が開かないように、
脇は常に締めておく

トライセプス キックバック

二の腕引き締め

二の腕（上腕三頭筋）

□ Day 1　□ Day 2　□ Day 3　□ Day 4　□ Day 5

STEP 1

椅子に片手と片ひざをつき、背筋を伸ばす。空いている手で500ml ペットボトルを持ち、腕を床と平行にして、肘を90度に曲げる。
床についている脚のかかとは少し浮かせておく。

STEP 2

息を吐きながら肘の位置を変えずにペットボトルを上げる。目線は斜め前で、ペットボトルの蓋が真下に向くようにする。
1秒止め、息を吸いながら元の位置に戻す。10〜20回×2セット。

背筋は伸ばしたまま、ゆっくりと行う

WEEK 3 ——— 腕 3

リバースプッシュアップ

二の腕・背中引き締め

〔初級〕10回×1セット
〔中級〕10回×2セット
〔上級〕10回×3セット

MOVIE >>

☐ Day 1 ☐ Day 2 ☐ Day 3 ☐ Day 4 ☐ Day 5

APPROACH

肩（三角筋）
背中（広背筋）
二の腕（上腕三頭筋）

STEP 1

ひざくらいの高さの椅子の端に、肩幅より若干広めに手をつき、腕で体を支える。
きつければ机や床でもOK。顔は正面に。

STEP 2

脇を締めたまま、息を吐きながらゆっくり体を下げ、肘を90度にする。
息を吸いながら元に戻し、10回×1〜3セット行う。

⚠ 脇を締め、肘が外を向かないようにする

WEEK 3 ——— 腕 4

ワイドプッシュアップ

二の腕引き締め・バストアップ

［初級］10回×2セット
［中級］15回×2セット
［上級］20回×2セット

MOVIE ››

☐ Day 1　☐ Day 2　☐ Day 3　☐ Day 4　☐ Day 5

APPROACH

胸（大胸筋）

二の腕（上腕三頭筋）

STEP 1

ひざをついて足を浮かせ、広め（肩幅の1.5倍くらい）に手を開き、背中をまっすぐにする。

STEP 2

息を吸いながら肘を曲げ、胸を床ギリギリまで近づける。息を吐きながら手のひらで体を押し返し、元の位置に戻す。
10～20回×2セット。

HARD

余裕があったら、ひざをつけずに腕立て伏せをする。

EASY

きつい人は、壁に手をついた腕立て伏せでOK。
つま先立ちして、壁にキスするイメージで行う。

手のひらパタパタ

二の腕引き締め・猫背改善

MOVIE >>

30秒

☐ Day 1 ☐ Day 2 ☐ Day 3 ☐ Day 4 ☐ Day 5

STEP 1

背筋を伸ばして立ち、両手を横に広げ、指先を上に向ける。

STEP 2

指先を交互に前方と後方に向け、肩関節を動かす。
腕のつけ根から回すイメージで、30秒行う。

WEEK 3 ——— 腕 6

肘&手首伸ばし

二の腕引き締め・肩こり改善

MOVIE >>

90 秒

☐ Day 1 ☐ Day 2 ☐ Day 3 ☐ Day 4 ☐ Day 5

STEP 1

手で反対側の肘を持ち、呼吸しながら15秒引っぱる。左右を入れ替え、15秒。

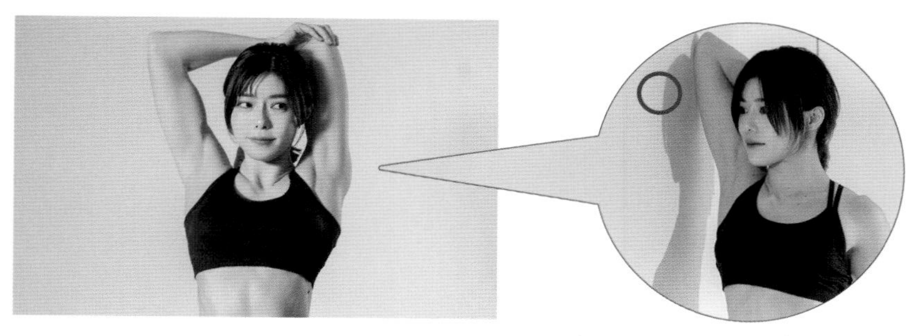

もっとしっかり伸ばしたい場合は、
壁に肘をついて体重を預ける

STEP 2

腕を伸ばし、手のひらを正面に向ける。
両手の指同士を重ね、手のひらを手前に15秒、下に向かって15秒引っぱる。
左右を入れ替え、同じように15秒ずつ行う。

⚠ 腕はまっすぐ伸ばし、顎を引いて、痛気持ちいいくらいの力加減で引っぱる

いいね、うち来る？

A

OFF RECORD TALK BY STAFF

表コンセプトは「バンドマン」、裏コンセプトは「一度は引っかかりたいクズメン」。本当にビジュが良すぎて写真が選定できず、編集しながら吐血（鼻血?）しました。スタッフ陣も撮影中に「絶対ファンに貢がせてる」と揶揄するものの、最推しはバンドマンで満場一致! ももさんもバンドマンが一番お気に入りだそう。
それにしても、さすがの腕です。（ギタリストじゃなくてドラマーだよね?）本著の筋トレをしても、ももさんレベルのムキムキな腕にはならないのでご安心を! もっと特殊な訓練が必要です。
思わず貢ぎたくなるメイキング動画もぜひご覧ください!

MAKING VIDEO

Intelligent Chinese

WEEK 4

背中

Back

背中は姿勢の美しさを決めるパーツ。
背中を鍛えれば背筋が伸び、猫背や反り腰を改善できる。
肩こりや腰痛がある人は集中的にトレーニングしよう。
代謝アップにもぴったりで、気になるはみ肉も撃退できるよ。
背中から腰にかけてのメリハリでくびれを作って、
妖艶な”背中美人“になろう。

POINT

- 腰を反るトレーニングは、お腹に力を入れて反りすぎないように注意。
- 肩甲骨の動きを意識して、筋肉に深い刺激を与えよう。
- 肩が上がると背中に効かない。腕を上げるときも肩甲骨は下げておこう。

WEEK 4 ―― 背中1

タオルラットプルダウン

背中引き締め・肩こり改善

〔初級〕10回×2セット
〔中級〕15回×2セット
〔上級〕20回×2セット

MOVIE>>

STEP 1

フェイスタオルを用意して椅子に座る（床でもOK）。
背筋を伸ばしてタオルを肩幅より広く持ち、軽く引っぱってピンと伸ばす。

STEP 2

息を吐きながら、胸を張ったまま肘を下ろす。
肩甲骨を寄せ、肘を腰に近づけるイメージで。

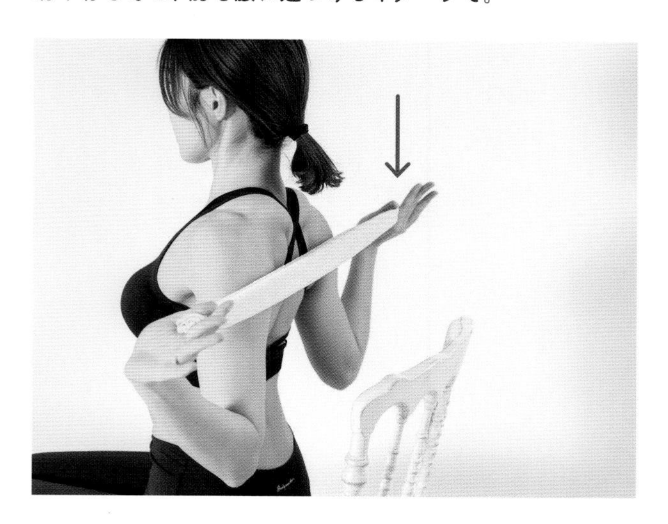

STEP 3

息を吸いながら、ゆっくり元の位置に戻す。
10〜20回×2セット。

WEEK 4 ——— 背中 2

スーパーマン

姿勢改善・ヒップアップ

〔初級〕10回 × 2セット
〔中級〕15回 × 2セット
〔上級〕20回 × 2セット

MOVIE >>

☐ Day 1 ☐ Day 2 ☐ Day 3 ☐ Day 4 ☐ Day 5

APPROACH

広背筋

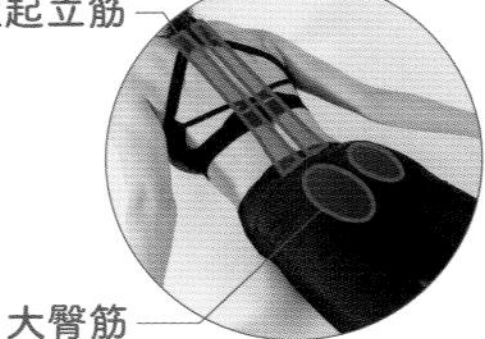

STEP 1

うつぶせになり、両手両足を伸ばして肩幅よりやや広めに開く。
床に骨が当たって痛い場合は、タオルかヨガマットを敷く。

STEP 2

息を吐きながら、両手・両脚を根元から同じくらい引き上げる。腰を反るというより、背中を使って上半身を持ち上げるイメージで。
目線は前、足先は外側に、肩を下げ、力が入らないようにする。

⚠ 反動は使わず、できるだけ高く上げる

EASY

肩に力が入ってしまう場合、手を横に広げる

STEP 3

息を吸いながら、〔STEP 1〕に戻る。
10～20回×2セット。

ペットボトル
ローイング

背中引き締め・はみ肉撃退

APPROACH

広背筋

〔初級〕10回×2セット
〔中級〕15回×2セット
〔上級〕20回×2セット

MOVIE >>

☐ Day 1　☐ Day 2　☐ Day 3　☐ Day 4　☐ Day 5

STEP 1

500mlペットボトルを両手に1本ずつ持ち、椅子に座って上体を45度くらいに倒す。できるだけ猫背にし、ペットボトルは内側を向け、肩を内巻きにする。

⚠ 目線は下、ペットボトルはハの字に

STEP 2

息を吐きながら肘を後ろに引いて、ペットボトルの蓋を正面に向ける。腰の位置は動かさず、肩甲骨を寄せて胸を張る。
息を吸いながら〔STEP 1〕に戻り、10～20 回×2セット行う。

⚠ 腰の角度は45度くらいをキープし、上体を起こしすぎない

⚠ しっかり肘を引き、肩をすくめないように

WEEK 4 ——— 背中 4

肩甲骨ゆるめ

はみ肉撃退・肩こり改善

MOVIE >>

APPROACH

10 回

☐ Day 1 ☐ Day 2 ☐ Day 3 ☐ Day 4 ☐ Day 5

STEP 1

息を吸いながら肩をすくめ、グッと力を入れて緊張させる。

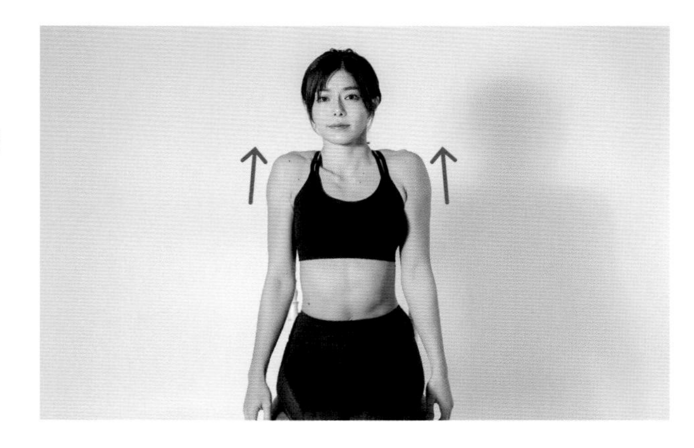

STEP 2

息を「ふっ」と吐きながら脱力し、肩をストンと落とす。〔STEP 1〕～〔STEP 2〕を10回繰り返す。

WEEK 4 ——— 背中 5

肩甲骨ほぐし

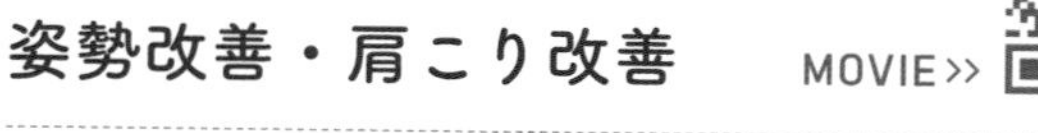

姿勢改善・肩こり改善

MOVIE>>

APPROACH

肩甲骨

10回

☐ Day 1　☐ Day 2　☐ Day 3　☐ Day 4　☐ Day 5

STEP 1

息を吸いながら、両手を上げて手のひらを重ねる。

STEP 2

息を吐きながら両肘を脇腹のやや後ろへ下ろし、胸を開いて肩甲骨を寄せる。
〔STEP 1〕～〔STEP 2〕を10回繰り返す。

肩甲骨はがし

代謝アップ・肩こり改善

MOVIE>>

APPROACH

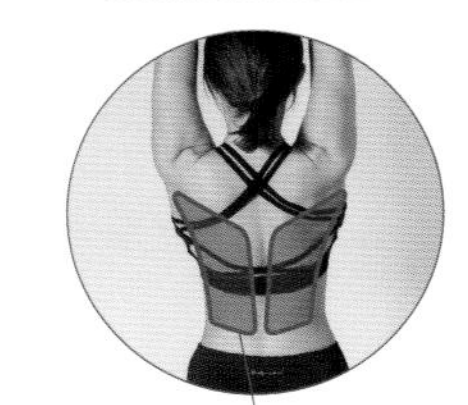

20 回

☐ Day 1 ☐ Day 2 ☐ Day 3 ☐ Day 4 ☐ Day 5

STEP 1

後ろで手を組み、背筋を伸ばして顎を引く。

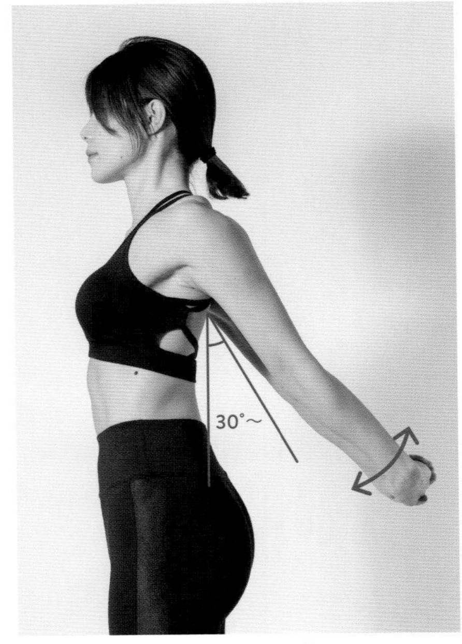

STEP 2

背筋を伸ばしたまま、組んだ手を上げ下げする。
1秒に1回のスピードで20回繰り返す。

⚠ 30度以下にならないよう、できるだけ大きく上げ下げする

WEEK 4 ——— 背中 7

肩甲骨開閉

むくみ改善・肩こり改善

MOVIE >> 

 10回

☐ Day 1　☐ Day 2　☐ Day 3　☐ Day 4　☐ Day 5

APPROACH

STEP 1

真横に両手を伸ばし、手のひらを下向きにする。
背筋を伸ばし、顎を引く。

STEP 2

胸を張ったまま、息を吐いて手のひらを上に返しながら肘を引く。肘が脇につくように肩甲骨を寄せ、肩はゆるく脱力する。
［STEP 1］～［STEP 2］を10回繰り返す。

よくできました。

OFF RECORD TALK BY STAFF

コンセプトは「インテリ中華男子」。背中がバックリ空いた衣装は、背中を見せるためももさんがアレンジしてくれました！ インテリ眼鏡や中華傘・扇子・ピアスなど、小物使いも光るビジュアルです。
撮影的には「背中を見せると顔が見えない」というのが難しいポイントだったのですが、斜め横から見てもももさんの骨格が美しかったので決まりました。あのシャープなフェイスライン、本当に同じ人類なんだろうか？
最後のビジュアルページは「トレーニングをがんばった生徒に花丸をくれる先生」です。こんなイケメンが先生だったらもっと勉強がんばったのに……いや逆に集中できないか。「先生、もっと褒めて!」と言いたくなるメイキング動画もぜひご覧ください!

MAKING VIDEO

HOLIDAY

ボディライン

Body
Line

Momo
Momoto

「休日はゆっくり休みたい」「今日は疲れているからトレーニングする気力がない」といった日は、ゆるやかな"姿勢改善"や"ながらトレーニング"でボディラインを整えるのがおすすめ。ふだんから正しい姿勢や呼吸方法を意識するだけで、インナーマッスルが鍛えられて筋肉のコルセットができ、代謝が上がって、脂肪がつきにくい体に。

寝ながら、座りながら、立ちながらできる"ながらトレーニング"は、スマホ時間や移動中に実践して、むくみのないスッキリとしたボディラインに。日々のコツコツで「365日美しい体」を作ろう。

POINT

- 姿勢が気になったらすぐに姿勢改善を行い、
  正しい姿勢を習慣づけよう。
- スキマ時間はできるだけ“ながらトレーニング”を。
  就寝前や移動中がおすすめ。
- 継続のコツは「できるものをできるだけやる」。

HOLIDAY ——— 姿勢1

ドローイング

体幹強化・脂肪燃焼

APPROACH

腹横筋

30秒

MOVIE >>

□ Day 1　□ Day 2

STEP 1

椅子に浅めに座り、骨盤を立てて背筋を伸ばす。
下腹部に両手を当て、息を吐き切ってお腹を凹ませる。

STEP 2

お腹を凹ませたまま鼻から息を吸い、胸だけを膨らませる。

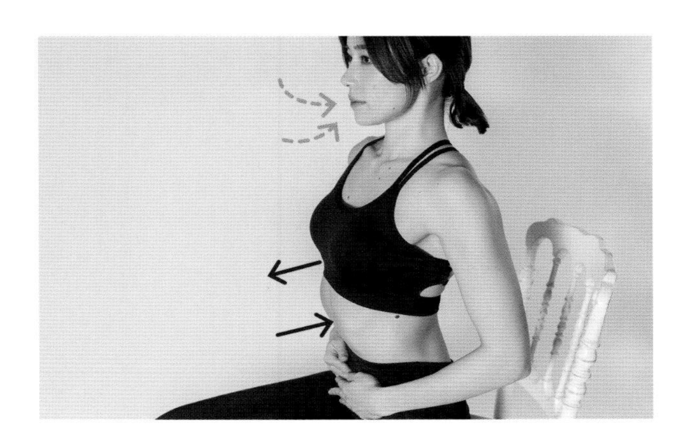

STEP 3

腹圧をかけてお腹を凹ませたまま、口からふーっと息を吐く。胸に入っている空気を吐き切るイメージ。この呼吸を30秒間続ける。

⚠ 常に腹筋に力を入れておく

HOLIDAY ——— 姿勢 2

姿勢矯正

猫背&内臓機能改善

1回

MOVIE >>

☐ Day 1　☐ Day 2

STEP 1

肩をすくめて上げる。

STEP 2

肩をすくめたまま、小さく前ならえする。

Beautiful!

POINT

- 写真を撮る前や、デスクワークで猫背が気になった時にやると美姿勢に！

STEP 3

肩甲骨をぐるっと後ろに回して、肩を下げる。

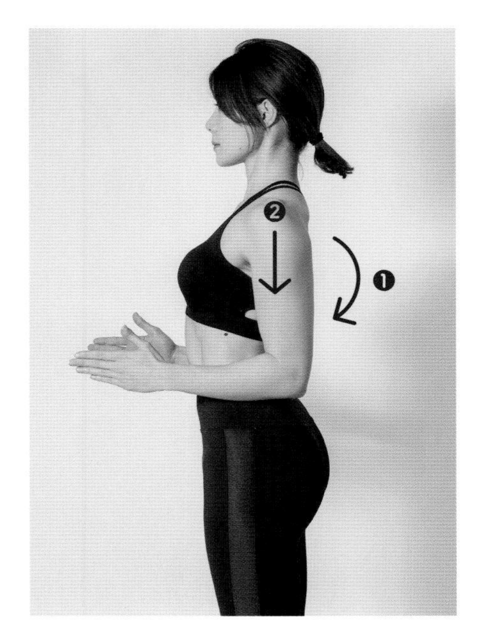

STEP 4

そのまま肘を伸ばし、手をだらんと下げる。

HOLIDAY ——— 姿勢 3

正しい歩き方

姿勢矯正・脂肪燃焼

 1回

MOVIE >> 

☐ Day 1　☐ Day 2

STEP 1

ドローイング（p.90）をして腹圧を入れ、お腹を凹ませて胸式呼吸する。

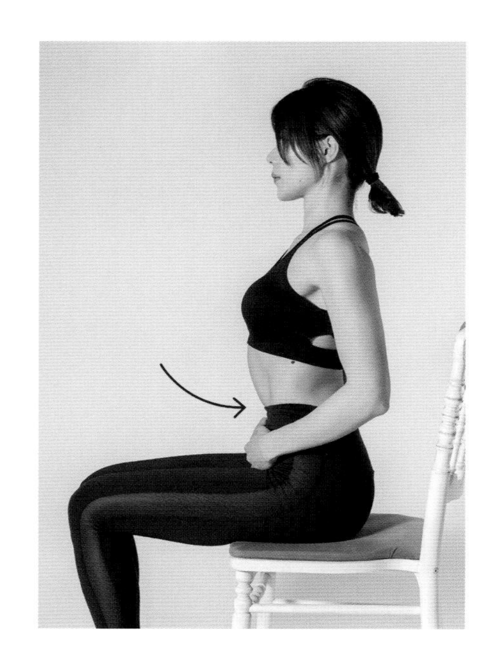

STEP 2

お腹に力を入れたまま立ち上がり、姿勢矯正（p.92）で正しい姿勢に整えてから、お尻の穴を締める。

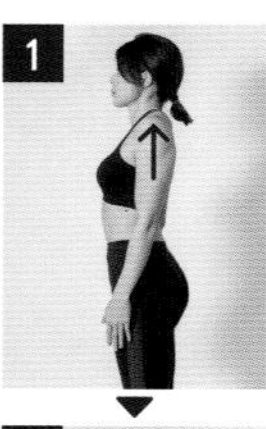

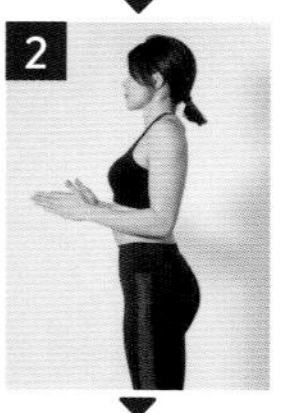

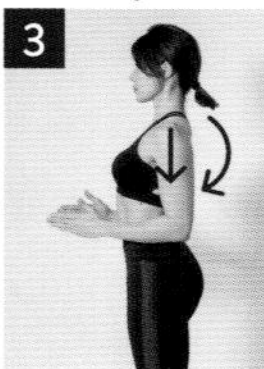

STEP 3

土踏まずに重心を置き、股関節（脚のつけ根）から動かして歩く。かかとから着地し、母指球で蹴る。

母指球で蹴る

かかとから着地

腹圧が抜けた状態で姿勢を良くしようとすると、胸だけ張った反り腰になる

つま先から着地して歩くと、猫背になる

HOLIDAY —— 姿勢 4

ながらトレーニング

スキマ時間

☐ Day 1　☐ Day 2

寝たまま

壁脚上げ / むくみ改善

3分〜

就寝前に、壁に座るような形でお尻を密着させ、脚を壁に添わせて真上に伸ばし、かかと同士をくっつける。そのままスマホを見たり本を読むなどして過ごす。

うつ伏せ脚パカ / ヒップアップ

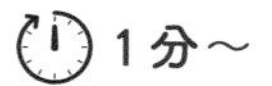

MOVIE>>

1分〜

うつぶせの姿勢でひざを床につけたまま、つま先を浮かせて外側に向ける。脚を肩幅くらいに開き、かかとをつけて閉じる動き（脚パカ）を繰り返す。スマホやテレビを見ながらでOK。

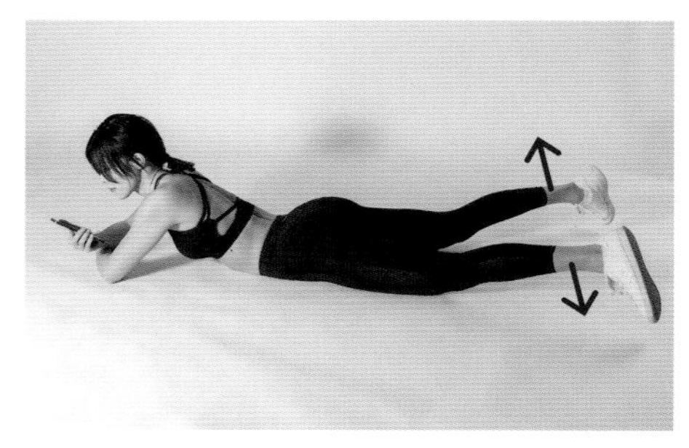

座ったまま

両ひざ挟み/内もも引き締め

10分～

座ったまま、両ひざの間にボール・ペットボトル・ハンカチなどを挟んでキープし、内転筋を鍛える。パソコンでの作業中や移動中にもおすすめ。

立ったまま

かかと上げ/冷え・むくみ改善

1分～

MOVIE>>

立ったまま、かかとの上げ下げをする。ふくらはぎの血流を促すため、デスクワークや立ち仕事のむくみ改善や冷えの解消にぴったり。

HOLIDAY ——— 姿勢 5

小顔マッサージ

むくみ改善・小顔効果

約1分

MOVIE >>

☐ Day 1　☐ Day 2

POINT

● メイク前に行うと顔がすっきり！ 飲み会の翌日や、大事な予定がある日にも。

STEP 1

耳の下（顎の骨との境目）に指先を添え、顔を横に倒して首の筋を伸ばす。気持ちいいくらいの力加減で、左右10秒ずつ。

STEP 2

両手を合わせ、顎の下に指先を添える。顔を押し上げて真上を向き、首の筋を伸ばす。気持ちいいくらいの力加減で、10秒。

STEP 3

耳たぶを親指と人差し指で挟み、ぐるぐる回す。10 秒。

STEP 4

耳の上を親指と人差し指で挟み、ぐるぐる回す。10 秒。

STEP 5

こめかみにこぶしを当て、ぐるぐる回す。10秒。

STEP 6

首の筋（胸鎖乳突筋）を親指と人差し指で挟み、ぐっぐっと力を加え、上から下へリンパを流していく。左右それぞれ行う。

最高！

OFF RECORD TALK BY STAFF

コンセプトは「桃戸もも」、ずばりももさん自身です。ももさんの中性美を前面に出してもらいました。
モードな雰囲気にしたかったので、ジャケットをさらりと羽織るスタイル。女性のスーツ姿は世の中に多々あれど、こんなに美しい仕上がりになることがありましょうか。
ほかのコスプレでは背景も豪華でしたが、こちらは完全なる白背景。引き算による被写体の美しさが映えること映えること。
「スタイル良すぎ！」と震えるメイキング動画もぜひご覧ください！

MAKING VIDEO

EVERYDAY

運動&食事

Exercise And Diet

ボディメイクには、「運動」と「食事」も必須！
筋トレできない日があっても、毎日の有酸素運動や食事改善が美をサポートしてくれるよ。
「筋トレやダイエットをがんばっているのに結果が出ない」
と悩んでいる人も、ここで紹介する運動と食事を生活に取り入れてみて。

POINT

- 筋肉もあるヘルシーボディを作るなら「PFC バランス」重視の食事を。
- 有酸素運動は朝食前にトライ！　朝イチで美意識がオンに。
- 忙しくて何もできない日は、食事だけ気をつければ OK！

4分HIITトレーニング

脂肪燃焼・筋骨強化

MOVIE>>

4分（運動20秒＋休憩10秒×8セット）

☐ Day 1　☐ Day 2

①ジャンピングジャック〜④バーピーを2セット行う

①ジャンピングジャック/ウォーミングアップ　20秒

STEP 1

背筋を伸ばしてまっすぐ立つ。

腕はしっかり広げ、
脚は広げすぎない

STEP 2

両手両脚を開きながらジャンプし、両手を頭上でタッチするタイミングで着地する。またジャンプすると同時に脚を閉じて両手を下げ、〔STEP 1〕に戻る。

STEP 3

20秒間、1秒に1回以上ジャンプするペースで〔STEP 1〜2〕を繰り返す。
10秒休憩し、②ワイドスクワットへ。

②ワイドスクワット/筋力酷使　20秒

STEP 1

脚を肩幅の1.5倍程度に開き、つま先とひざを外側斜め45度に向け、両手を胸の前で組む。

STEP 2

息を吐きながら、ひざが90度になるまで腰を落とす。ひざではなく股関節を曲げる意識で、椅子に座るように上体を下げる。ひざとつま先の剥きは斜め45度をキープする。

STEP 3

20秒間、1秒に1セットのペースで〔STEP 1〜2〕を繰り返す。
10秒休憩し、③マウンテンクライマーへ。

ひざをつま先より前に出さない

③マウンテンクライマー / 心拍数アップ　20秒

STEP 1

両手を肩の真下につき、腕立て伏せの姿勢になる。肩からかかとまでが一直線になるように、背筋を伸ばす。

STEP 2

息を吐きながらひざを胸に引き寄せるようにして、左右交互に上げる。その場で走る感覚で、細かく息を吐きながらなるべく早く繰り返す。
20 秒間続けたら 10 秒休憩し、④バーピーへ。

④バーピー / 追い込み　20秒

STEP 1

立った状態から素早くしゃがみ、両手を床につける。

STEP 2

腕を支えにして両脚を同時に伸ばし、肩からかかとまでを一直線にしてプランクの姿勢になる。

STEP 3

軽くジャンプするようにして両脚を戻し、〔STEP 1〕の姿勢に戻る。

STEP 4

そのまま
立ち上がる。

余裕がある人はジャンプしながら立ち上がり、両手を上でタッチ

STEP 5

〔STEP 1～4〕をなるべく早く繰り返す。20秒。

①ジャンピングジャック～④バーピーをもう1セット行い、
FINISH!

EVERYDAY —— 食事

2.5次元ボディを作る食事Q&A

Q1

どうしても甘いものが食べたくなったら?

①プロテインを摂る

たんぱく質が豊富なプロテイン食品から、甘いものをチョイスしよう。たんぱく質は代謝しやすい体を作る栄養素で、脂肪燃焼を促すうれしい効果も。
おすすめはプロテインドリンク! ココア味・チョコレート味・ヨーグルト味など、お気に入りのプロテインの味を探してみて。

②和菓子を食べる

「どうしても我慢できない!」って日は、洋菓子より脂質が少ない和菓子を選んで。和菓子は筋トレとの相性も抜群! 糖質はすばやくエネルギーとして活用できるので、筋トレ前に食べれば安心だよ。腹持ちがよく、ダイエット中のドカ食いを防げるのもメリット。

Q2

生理前の食欲、どうすればいい?

生理後の10日間でリカバーを!

ホルモンの関係でどうしても食べたくなってしまうのは仕方ないから、チートデー代わりに食べてもOK。生理後の約10日間は痩せやすいボーナスタイムに突入するから、そこで取り戻そう! 食事改善&筋トレ&有酸素運動に励んで。

Q3

食事制限が続かず、
いつも挫折してしまいます…。

少しずつ食事改善して

一気に食事内容を変えるとストレスでつらくなってしまうので、少しずつ変えよう。「おやつだけ減らす」「昼食だけ変える」「食事が多かった日は筋トレをする」といった小さな変化から、ゆっくりステップアップして。
完璧主義になると挫折しやすいので、うまくいかなかった日も「明日やればOK!」と気持ちを切り替えるのが◎。

Q4

外食する日はどう調整する?
ドカ食いしたあとのリセット方法は?

ほかで調整すればOK!

私も人と食事する時は気にせず食べているけど、

- その日の運動量を増やしてカロリー消費する
- 次の日は「高たんぱく・低脂質」のヘルシー食にする

ことで体型をキープできているから大丈夫。
ただ、夕食ならジャンクフードだけは控えると○。そのほかは気にせず、外食を楽しんで!

Q5
あまり食べていないのに体重が落ちないのはなぜ？

①塩分でむくんでいる

塩分の摂りすぎで体がむくむと、水分で体重が増えてしまうもの。アプリで食事管理して1日の塩分を6g以下に控えるか、塩分の排出を促すカリウムが豊富な食材（バナナやキウイなど）を摂ることでむくみを解消して。

②長期ダイエットで代謝が落ちている

長くダイエットしていると、体が飢餓状態だと認識したり、筋肉量が減ったりして基礎代謝が下がり、かえって痩せにくい体になってしまうことも。
1週間に1回、チートデー（好きなものを好きなだけ食べる日）を作って！

③栄養のバランスが悪い

栄養のバランスが悪いと消費カロリー＜摂取カロリーになりやすくなったり、代謝しにくい体を作って痩せにくい体になったりして、ダイエットの落とし穴にはまってしまうよ。
次ページで紹介する「PFCバランス」を意識した食事で代謝を上げて、痩せやすい体を作ってみて！

④消費カロリー＜摂取カロリーになっている

食べる量が少なくても、脂質や糖質が高い食べ物を選ぶとカロリー過多になりがち。食事管理アプリで1日の摂取カロリーをチェックして、消費カロリーより少なくなるよう調整して。
消費カロリー＝基礎代謝（目安1200kcal）＋生活消費カロリー（目安500kcal）*
摂取カロリーが1300 kcal以下でも体重が落ちないなら、代謝が落ちている可能性大！ 筋トレで筋肉量を増やして、エネルギー消費の約7割を占める基礎代謝を高めよう。

*正確な消費カロリーは人によるため「消費カロリー　計算」でネット検索して調べてみよう

PFCバランスって？

三大栄養素である「Protein（たんぱく質）」「Fat（脂質）」「Carbohydrate（炭水化物）」それぞれの栄養素から得るエネルギーの割合のこと。
健康的なボディメイクのPFCバランスは

たんぱく質　脂質　炭水化物
P：F：C＝4：2：4

食事管理アプリを活用して管理するのがおすすめ！何をどれだけ食べていいかわかるよ。

POINT

1. 1日に必要なたんぱく質は「体重1kgあたり1g」と言われているので、ボディメイク中は最低でも50gは摂ろう。
2. 基本的にたんぱく質多め、脂質少なめを意識しつつ、夜は炭水化物を控えめに！

糖質より脂質を制限する理由は？

①体調不良になりやすい

糖質は体や脳を働かせる重要な栄養源なので、減らしすぎるとやる気が出ないなど生活に支障が出ることも。筋トレのモチベーションも下がりやすい。

②筋肉が落ちやすい

糖質が不足すると、たんぱく質からエネルギーを生み出すようになり、筋肉が落ちやすくなる。筋トレの効果も下がり、いつまでも代謝が低い「食べたらすぐ太る体」になってしまう。
必要な糖質は摂って筋トレして、効率的にヘルシーな体を目指して！

ボディメイク中に選びたい 優秀食材

バナナ

塩分を排出するカリウムが豊富で、むくみ解消に活躍。低 GI でゆるやかに血糖値が上昇するためドカ食いを防ぐ。お腹にもたまりやすく、ボディメイク期間の朝食にぴったり。ヨーグルトに入れて、食感を楽しめるナッツをかければ食べごたえアップ！

ツナ缶・ささみ缶

高たんぱくなうえ、糖質がほぼ0！ 料理に合わせやすく、すぐに食べられるのもうれしい。脂質が気になる人はノンオイルタイプを。おすすめレシピはオムレツ（p.119）。卵に入れて焼けば、手軽にたんぱく質を補給できる。卵かけごはんやサラダにトッピングするだけでもOK！

キウイ

むくみを取るカリウムや美肌に欠かせないビタミンが豊富で、フルーツのなかでも栄養素充足率*がトップクラス。バナナより糖質が低いので、より絞りたい日にも。整腸作用があり、お通じ改善の腸活にも◎。
1日2個、ヨーグルトに入れて食べるのがボディメイクに効果的。ほどよい酸味があるので、スムージーにしてもおいしい！

＊100gの食品に栄養素がどの程度含まれているかを数値化したもの

鮭

美容とボディメイクの味方。鮭の油は体に良く、食欲をコントロールする作用があり、アンチエイジングにも効果的。鮮度が高いのは、綺麗なオレンジ色のもの。
おすすめレシピはホイル焼き（p120）。

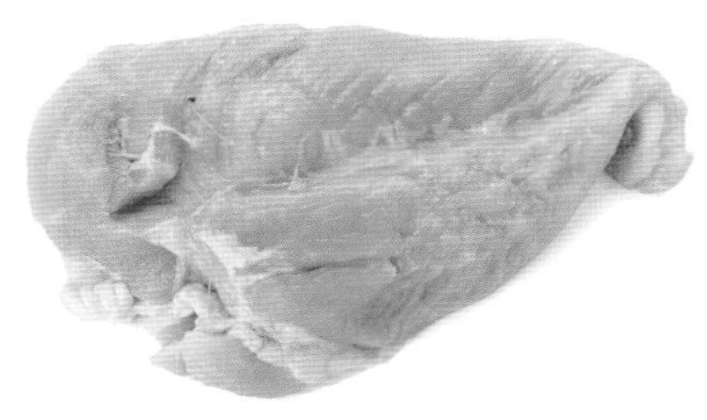

鶏むね肉

高たんぱく＆低脂質の代表格で、ボディメイクの王道食材！ 値段が安く、いろんな調理方法でおいしく食べられるのも魅力。
おすすめレシピは蒸し鶏。

①脂質たっぷりの皮は取り、表面にフォークを刺して穴を空ける。
②ジップロックに入れて、料理酒・砂糖・ハーブソルトを揉み込む。できれば30分置く。
③沸騰したお湯たっぷりの鍋に、ジップロックに入れたまま投入。弱火で3分。火を止め、冷めるまで放っておく。

ちくわ

魚のすり身が主な原料で、加工に油を使わないため低脂質・低カロリー。良質なたんぱく質が多く含まれている。ただし塩分と糖質はそこそこあるので、食べすぎ注意！
おやつ代わりにそのまま食べるもよし、刻んで炒め物やオムレツ（p.119）に入れるもよし。
冷凍保存ができるので、ボディメイク中はストックしておくと安心。

きのこ

特におすすめなのがエリンギ、エノキタケ、マイタケ、ブナシメジ。低カロリーで食物繊維が豊富なため、便秘解消に効果あり。ミネラルやカリウムに加えて、ビタミンB1・B2が多く含まれ、糖質や脂肪の代謝を助ける効果や、疲労回復効果も。
おすすめレシピはきのこ鍋。かさましできて空腹感が抑えられる。炒め物に入れるのもおすすめ。

EVERYDAY —— 食事

ボディメイク中に選びたい コンビニ食品

和菓子

糖質はあるが脂質がほぼ入っていないので、ボディメイク中のスイーツにぴったり。トレーニング前に食べれば、体を動かすエネルギーになり太りにくい。
おすすめは食べごたえのある大福。種類が多いのはセブンイレブン。

おにぎり

主食はおにぎりに。パンに比べて脂質が少なく、カロリーは大体 200kcal 以下。
おすすめの具は鮭。ほかの具よりもタンパク質がある。マヨネーズが入っているものは脂質が多いので注意!

サラダチキン

高たんぱく＆低脂質で、お腹にもたまる。種類が豊富なので、好きな味を探してみて。ダイエット向きはプレーンやハーブ、食べやすいのはチーズやスモークなどしっかり味がついているもの。
飽きたときのおすすめレシピは炒め物。サラダチキン独特の臭みも緩和される。

海鮮スティック

高たんぱく＆低脂質なので、サラダチキンに飽きた人におすすめ。種類が多いのはローソンとファミマ。魚系やエビ系などがある。
脂質が恋しくなったら、チーズ入りの海鮮スティックで息抜きを！

プロテインドリンク

飲み物はプロテインドリンクで決まり！朝、トレーニング後、夜に飲むと○。おやつを食べたくなったら、甘いプロテインドリンクを。
おすすめブランドはどこのコンビニにもあり、種類豊富なSAVAS。

鮭とば

高たんぱく＆低脂質！ カロリーも低く、間食やおつまみにおすすめ。「しょっぱいものが食べたい」と思ったら選ぶ。
ただし、塩分が高いので食事の塩分を減らすよう工夫を。バナナやキウイでカリウムを摂るのも○。

サーモン寿司

お寿司好きはサーモン寿司を。セブンイレブンの「サーモンの寿司」はおにぎりよりカロリーが低く、脂質も糖質も少なめ。なのにタンパク質は5g以上！
酢飯だから、おにぎりに飽きたときの救世主にもなる。

ボディメイクレシピ

1 鶏ささみのトマト煮

ささみのあっさり感をトマトの酸味&甘味でおいしくカバー。トマトは代謝アップにも◎!ニンニクの風味が食欲をそそり、満足感あるメインに。作り置きしておくと楽。

●1食分
P(たんぱく質):24.8g
F(脂質):4.6g
C(炭水化物):12.0g

[材料(4食分)]
ささみ400g
たまねぎ　2個
パスタ用トマトソース(トマト缶でも○)200g
コンソメキューブ　1個
オリーブオイル　小さじ半〜1杯
ニンニク　ひとかけ
コショウ　お好みの量
(お好みで)きのこ、ブロッコリー

[作り方]
①玉ねぎをくし切りにする
②ニンニクをみじん切りにする
③ささみを一口大に切る
④オリーブオイルとニンニクをフライパンに入れ、中火にする
⑤オリーブオイルが温まってきたら、ささみを入れる
⑥ささみの表面が白くなってきたら、玉ねぎを入れてサッと炒める
⑦蓋をして、玉ねぎが少ししんなりするまで待つ
⑧トマトソースとコンソメ、コショウを入れる
⑨蓋をして、全体が煮えたら出来上がり

ボディメイクレシピ

2 ツナとちくわのオムレツ

ちくわ&高たんぱくなツナ缶 or ささみ缶（ノンオイル）で、オムレツをボリュームたっぷりのご馳走に。ヘルシーな練り物はかさましに最適。

●1食分
P（たんぱく質）：22.7g
F（脂質）：10.2g
C（炭水化物）：4.8g

［材料（1食分）］
卵　1個
ノンオイルツナ缶 or ささみ缶　1缶
ちくわ　1本
バター　5g（ひとかけの半分くらい）
コショウ　適量
トマトケチャップ　適量
（お好みで）ブロッコリー

［作り方］
①卵をボウルに入れ、箸で空気を入れるようにしっかり混ぜる
②ツナと輪切りにしたちくわを入れる
③お好みでコショウを入れる
④バターをフライパンで熱して溶かし、①～③の具材を混ぜた卵液を一気に入れる
⑤10秒放置して縁や底が固まってきたら、スクランブルエッグを作る要領でかき混ぜる
⑥全体が固まり切る前に、両端から中心に向かって寄せていき、オムレツの形にする
⑦お皿に盛り付け、ケチャップをかけて完成

3 鮭のホイル焼き

鮭の油は体に良く、食欲をコントロールする作用があり、アンチエイジングにも効果的。
鮮度が高い綺麗なオレンジ色の鮭を選んで。ホイル焼きなら洗い物も最小限に。

●1食分
P（たんぱく質）：20.8g
F（脂質）：7.6g
C（炭水化物）：16.9g

［材料（1食分）］
生鮭（塩鮭は×） 1切れ
エノキ 1/4株
玉ねぎ 1/4個
アスパラ 1本
バター 5g
レモン 輪切り1/2スライス
塩 適量
コショウ 適量

［作り方］
①玉ねぎをくし切りにし、アスパラを食べやすい大きさに切る
②エノキを食べやすい大きさにバラす
③アルミホイルの上に生鮭を置き、塩と胡椒をしっかり振る
④生鮭に①～②の具材を乗せてアルミホイルで包み、フライパンの上に置く
⑤フライパンに蓋をして、様子を見ながら中火で7分、弱火で8分加熱する
⑥鮭の中まで火が通ったら完成

ボディメイクごはん
とある1日の食事

朝　納豆卵かけごはん＋きんぴらごぼう

406kcal

P（たんぱく質）：16.3g
F（脂質）：9.2g
C（炭水化物）：61.5g

納豆卵かけごはんは忙しい朝の救世主！動物性たんぱく質と植物性たんぱく質を一度においしくいただける。

昼　鶏ささみのトマト煮＋ごはん

446kcal

P（たんぱく質）：28.5g
F（脂質）：5.0g
C（炭水化物）：67.0g

ボディメイクレシピ（p.118）で紹介した鶏ささみのトマト煮。作り置きしておけば、丼にしてサッと食べられる。

間食　プロテインドリンク

111kcal

P（たんぱく質）：19.5g
F（脂質）：2.0g
C（炭水化物）：3.7g

11時のパーソナルトレーニングでプロテインドリンクを。甘みのあるリッチショコラ味。

晩　サラダ（外食）

342kcal

P（たんぱく質）：17.0g
F（脂質）：25.8g
C（炭水化物）：12.9g

生ハムや卵のあるたんぱく質豊富なサラダを選んだものの、サラダはドレッシングの脂質が多い（泣）

1日 1366kcal

ナイスファイト！
半分あげる。

OFF RECORD TALK BY STAFF

こちらもコンセプトは「桃戸もも」ですが、トレーニングウェアのナチュラルなももさんで、肉体美を強調する写真がメインでした。
かっこいいももさんはほかの章でもたんまり堪能できるのですが、「普通の女の子」と「かっこいい女性」の間での揺らぎが味わえるのがこちらの章の醍醐味。たまに見えるあどけない表情にキュンとくる方も多いのでは?
そしてトレーニングウェアでの撮影は、トレーニング写真と合わせての撮影で必死だったので、メイキング動画はありません(笑) トレーニング動画で動きのあるももさんを堪能してください!

Dear you

この本をご購入いただいたあなたへ

改めて、この本を手に取っていただきありがとうございます！

最近、SNSでは間違った食事方法やダイエット情報、
過剰なビフォー・アフター写真がたくさんバズっています

間違ったダイエットでつらい思いをしている方から
ダイエットについて相談されることも多く、
そんな悩みに答えるお手紙のつもりで作りました。

美しい体を作る一番の近道は
正しい知識を持ってトレーニングと食事を見直し、
健康な習慣でボディメイクをすることです。

仕事や学校がある中で続けるのは大変だけど、
体は行動した分だけ確実に答えてくれるので、
続けた先には史上最高の自分が待っています。

この本を読んで、一人でも多くの人がきれいになり、
自信を持ってくれたら、うれしいです。

つらくなったらQRコードの動画で
いっしょにトレーニングしましょう！
心から応援しています。